Clár

táimid ag fáS!

Is féileacán mise

Tá sciatháin ildaite orm.
Bím ag eitilt ó bhláth go bláth.
Ólaim neachtar le mo
theanga fhada.

Tá a chraiceann
clúdaithe leis na
milliúin ribí
boga gruaige.

Faigheann sé
boladh rudaí
lena chuid
aintéiní.

Súnn an féileacán neachtar
lena phróboscas – díreach
mar a shúnn tusa deoch
le sop.

Seo na gainní faoin micreascóp.

Tá na mílte gainní beaga ar sciatháin an fhéileacáin.

Anois, cas an leathanach go bhfeicfidh tú mé ag fás...

Sular rugadh mé

Chas Mamaí agus Daidí lena chéile lá amháin nuair a bhí siad ag eitilt os cionn páirce. D'eitil siad le chéile tamall. Anuas leo ar phlanda agus chúpláil siad.

Tar éis dóibh cúpláil, imíonn an féileacán fireann. Cuardaíonn an ceann baineann planda lena cuid uibheacha a bhreith air.

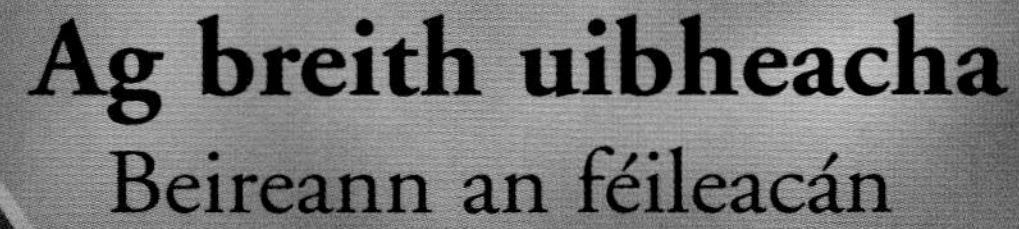

Ag breith uibheacha

Beireann an féileacán baineann a cuid uibheacha ar dhuilleog. Greamaíonn na huibheacha leis an bplanda – ní scuabfaidh an ghaoth chun siúil iad.

Planda speisialta

Beireann gach cineál féileacáin uibheacha ar chineál áirithe planda. Plandaí cairéid nó bliúcán agus plandaí finéil is deise leis an bhféileacán sa phictiúr thuas.

Planda finéil

Bliúcán

Tá sé in am teacht amach

Bím ag fás istigh san ubh ar feadh cúig lá. Amach liom ansin. Is speig neanta bheag bhídeach anois mé. Bíonn orm an ubh a ithe chun bealach amach a dhéanamh dom féin.

Is gearr go n-athróidh an dath ar an ubh seo.

Tógann sé uaireanta fada an chloig ar an speig neanta bealach amach a dhéanamh.

Is breá linn bláthanna!

Bíonn cónaí ar fhéileacáin áit ar bith a mbíonn bláthanna ag fás. Is é an tEarrach an t-am is fearr lena gcuid uibheacha a fheiceáil – ach bíonn ort a bheith ag féachaint go géar.

Tá mé ag fás níos mó

Ithim agus ithim. Fásaim agus fásaim. Is gearr go mbíonn mo chraiceann róbheag dom! Bíonn orm craiceann nua a fhás. Bíonn dath éagsúil ar an gcraiceann nua.

Seachain! Seachain!

Nuair a bhíonn ainmhí nó feithid eile ag iarraidh cur isteach ar an speig neanta, scaoileann sí boladh gránna amach, trí adharc oráiste.

Uaireanta, itheann an speig neanta an seanchraiceann.

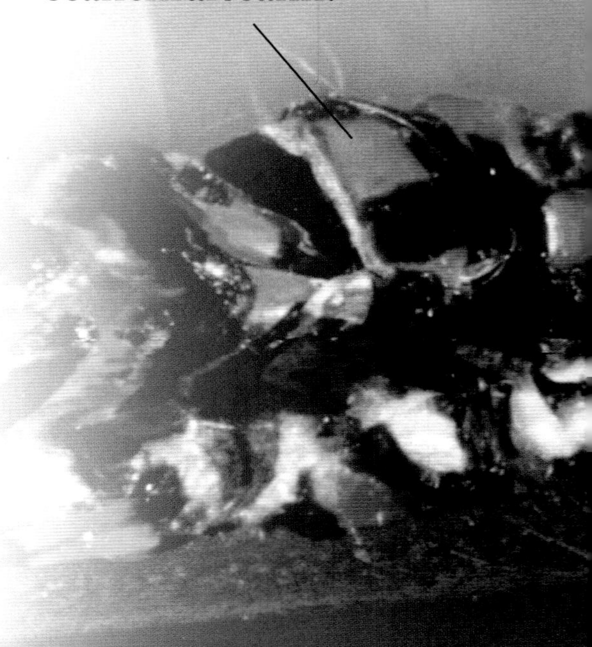

Níl aon scamhóga ag an speig neanta. Bíonn sí ag tarraingt anála trí phoill ina craiceann.

Tá an-ocras orm

Tá an speig neanta seo trí sheachtain d'aois. Bíonn uirthi a bheith ag ithe an t-am ar fad, chun fuinneamh a stóráil le casadh isteach ina féileacán.

Seo iad mo chuid fiacla!

Spící géara chun ainmhithe eile a choinneáil amach uaithi.

Bíonn go leor cosa ag speig neanta chun breith ar an bplanda.

An raibh a fhios agat?

Formhór speigeanna neanta, ní itheann siad ach cineál amháin nó dhó planda.

Dá bhfásfá féin chomh tapa le speig neanta, bheifeá chomh mór le leoraí tar éis coicíse!

Coinnigh greim!

Tar éis míosa nó mar sin, socraím mé féin ar chraobh láidir. Tosaím ag fí snáth síoda chun mé a cheangal leis an gcraobh. Anois táim réidh chun mo chraiceann a chur díom den uair dheireanach.

"Piliúr" a thugtar ar an bpaiste snáth síoda ar m'eireaball.

An crios a thugtar ar an snáth thart ar lár an fhéileacáin.

Cuireann an speig neanta de a chraiceann. Tá sliogán ag fás faoi.

Éireoidh an sliogán crua. "Crisilid" a thugtar anois air.

Taobh istigh, casann an speig neanta isteach ina chnap bog glóthaí.

Tá sé in am briseadh amach

Tá trí sheachtain caite ó thosaigh mé ag athrú. Tá an ghlóthach taobh istigh den chrisilid ag athrú isteach i gcorp féileacáin álainn.

Féach isteach!

Nuair a bhíonn sé in am teacht amach, bíonn tú in ann féachaint tríd an gcrisilid. An bhfuil tú in ann dath an fhéileacáin nua a fheiceáil?

Brúim agus brúim agus scoilteann an chrisilid.

Nuair a thagann an féileacán amach, bíonn na sciatháin fliuch agus craptha.

Nuair a ritheann fuil isteach sna sciatháin nua, éiríonn siad níos mó.

An raibh a fhios agat?

- Caitheann roinnt féileacán an geimhreadh sa chrisilid. Tagann siad amach san earrach.
- Is ar an taobh amuigh dá chorp atá creatlach an fhéileacáin, chun é a chosaint.

Seo liom ag eitilt

Ní thógann sé ach cúpla nóiméad ar mo chuid sciathán triomú. Anois, táim réidh le himeacht ag cuardach bláthanna. Beidh bia ar fáil ansin dom.

Fágann an féileacán an chrisilid fholamh ina dhiaidh.

Maireann an féileacán lánfhásta ar feadh míosa. Ní mórán ama é sin chun casadh ar fhéileacán eile agus cúpláil.

Neam, neam

As seo amach, ólfaidh an féileacán neachtar lena phróboscas, nó teanga.

Casann ciorcal na beatha timpeall agus timpeall

Anois, tá a fhios agat conas ar chas mé isteach i m'fhéileacán álainn.

Slán anois – tá mé ag imeacht ag eitilt!

Féileacáin ar fud an domhain

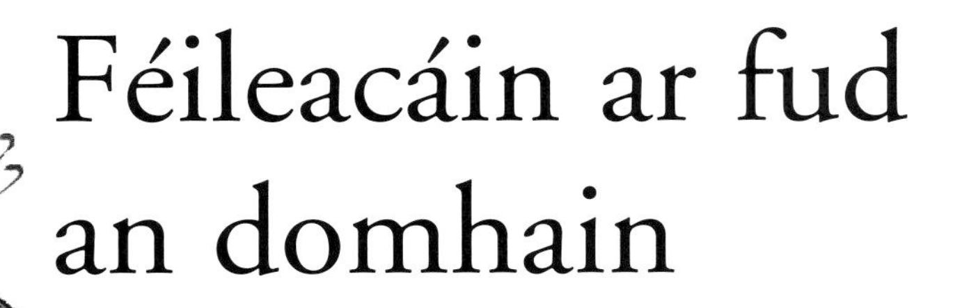

An bhfuil tú in ann mé a fheiceáil?

Cuireann an phéacóg an ruaig ar éin leis na spotaí móra – ceapann siad gur súile atá iontu.

Féachann an duillfhéileacán cosúil le duilleog – bealach maith le dul i bhfolach!

Mionfhéileacán atá ormsa – is mise an ceann is lú ar fad!

Tá cónaí ar an bhféileacán lorgearrach san fhoraois bháistí.

Is mise an ceann is mó. Taispeánann an imlíne

Tá oiread féileacán ann agus oiread dathanna orthu.

Is maith leis an morfó gorm sú torthaí lofa a ól.

Féileacán 88 a thugtar ar an gceann seo, ó Mheiriceá Theas. Meas tú cén fáth?

Itheann an féileacán malaicíteach cac na n-éan!

Is as An Nua Ghuine d'fhéileacán éaneiteach na banríona Alexandra.

ghlas an mhéid cheart atá ionam.

An raibh a fhios agat?

- Eitlíonn an bleachtfhéileacán 8,800 km gach bliain ó Locha Móra Mheiriceá síos go Muirascaill Mheicsiceo agus ar ais.
- Tá thart ar 28,000 cineál éagsúla féileacán ann.
- Níl féileacán in ann eitilt má thiteann teocht a choirp níos ísle ná 30°C (86°F).

Foclóirín

Próboscas
An teanga speisialta atá ag an bhféileacán le neachtar a ól as bláthanna.

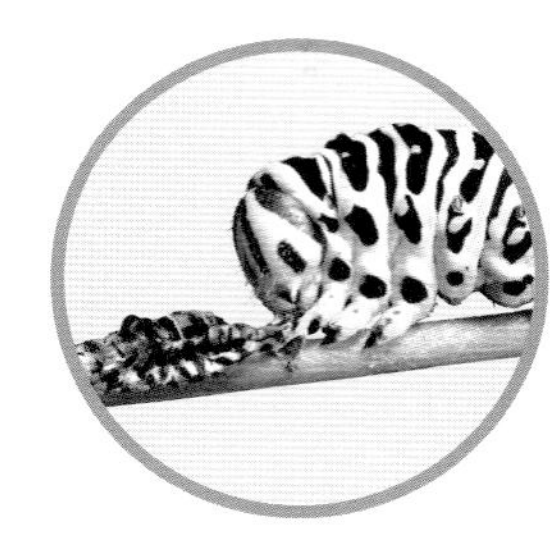

Cur de craicinn
Cailleann an speig neanta a seanchraiceann agus fásann ceann nua uirthi.

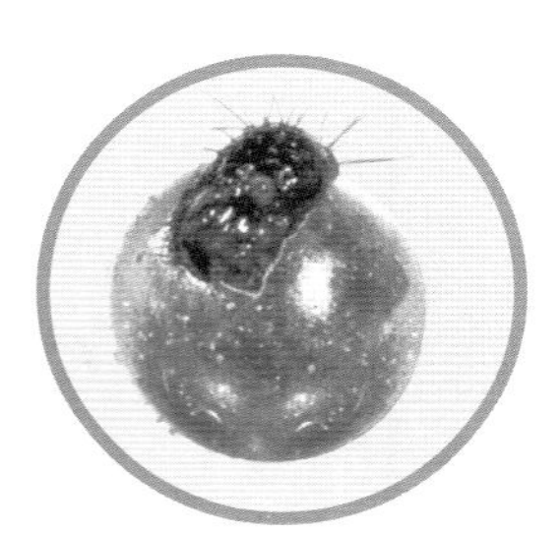

Ligean amach
Ligtear amach an speig neanta nuair a thagann sí amach as an ubh.

Crisilid
An uair a mbíonn an speig neanta ag casadh isteach ina féileacán.

Speig neanta
(nó bolb nó bratóg)
An dara céim i saolré féileacáin, tar éis teacht as an ubh.

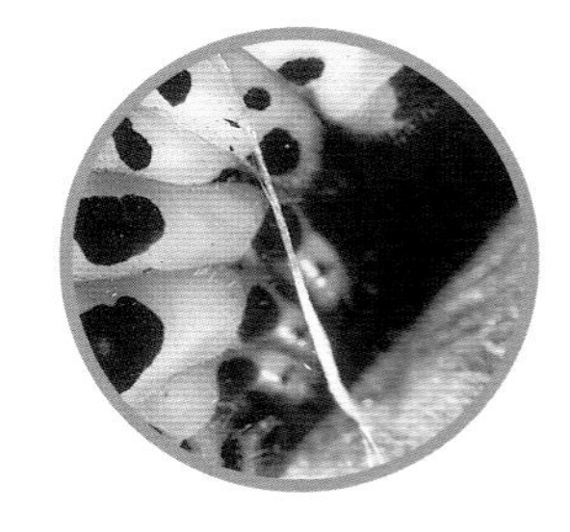

Síoda
An snáth a dhéanann speig neanta chun í féin a cheangal le planda.

Creidiúintí
Ba mhaith leis an bhfoilsitheoir buíochas a ghlacadh leo seo a leanas faoina gcaoinchead a gcuid grianghraf a fhoilsiú: (Eochair: u-uachtar;
í-íochtar; l-lár; c-clé; d-deis; af-ar fad)

1: Getty Images/David Aubrey l; 2-3: ImageState Pictor Ltd/Paul Wenham-Clarke; 4-5: Getty Images; 5: Getty Images íd; 6: Stuart R. Harrop íc; 7: FLPA – Images of Nature/Derek Middleton l; 8: N.H.P.A./Roger Tidman c; 9: N.H.P.A./Stephen Dalton l; 10-11: ImageState Pictor Ltd; 11: Stuart R. Harrop/Prof. íd; 12: N.H.P.A./Stephen Dalton l; 13: Getty Images íd; 14-15: N.H.P.A./G.I. Bernard; 16-17: Getty Images; 17: ImageState Pictor Ltd/Paul Wenham-Clarke d; 18-19: Image State Pictor Ltd/Paul Wendham-Clarke; 19: N.H.P.A./Stephen Dalton ld; 20: N.H.P.A./Laurie Campbell l; Stephen Dalton ílc; 23: Jerry Young íd; 24: N.H.P.A./Roger Tidman lc.

Clúdach Tosaigh: Jerry Young íl.

Gach íomhá eile © Dorling Kindersley. Tuilleadh eolais: www.dkimages.com

Ba mhaith le Futa Fata buíochas a ghlacadh le Fidelma Ní Ghallchobhair agus le Tadhg Ó Bric, An Coiste Téarmaíochta, faoina gcomhairle.